A B C D E F G H I J K L M
N O P Q R S T U V W X Y Z

Meet big **U** and little **u**.

Trace each letter with your finger and say its name.

U is for

umbrella

U is also for

under

up

underwear

upset

Uu Story

Once **u**pon a time,
a tired troll named **U**gg
sat **u**nder an **u**mbrella.

Uh-oh! **U**gg and the **u**mbrella went **u**p, **u**p, **u**p.

Up, **u**p, **u**h-oh!
Ugg saw an **u**gly sweater.

Up, **u**p, **u**h-oh!
Ugg saw a big pair of
upside-down **u**nderwear.

Ugg was a little **u**pset...
until he woke **u**p
from his **u**nusual dream.